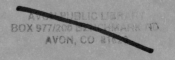

Pioneros de la Ciencia

GALILEO

y el Universo

Steve Parker

CELESTE EDICIONES

Título original: Galileo and the Universe
© Belitha Press Limited, 1992
Text © Steve Parker, 1991

Copyright © CELESTE EDICIONES, S. A.
Fernando VI, 8, 4.º. 28004 MADRID
Tels.: 310 05 99. Fax: 310 04 59

Primera edición en castellano, 1992
Primera reimpresión, 1995

Traducción: Jesús Greus Romero de Tejada

ISBN: 84-87553-15-X

Reconocimientos

Créditos fotográficos:
Ancient Art and Architecture Collection 1,
    18 centro izda.
Bridgeman Art Library 5, 21, 25 arriba
Mary Evans Picture Library 3, 8, 9 arriba,
    12 arriba y abajo, 13 arriba dcha., 20 izda.
Michael Holford 8 centro, 11 arriba dcha.
Magnum/Eric Lessing 20 dcha., 23 arriba
Mansell Colection 13 abajo, 22
National Portrait Gallery, London 26
Ann Ronan Picture Library 7 dcha., 13 arriba
    izda., 24 arriba
Scala 14 abajo, 18/19 abajo, 18 arriba,
    19 arriba
Science Photo Library 14 arriba Barney
    Magrath, 16 NASA, 17 John Sanford,
    18 centro izda. NASA
Spectrum Colour Library 10 abajo

Imágenes del montaje de la cubierta
proporcionadas por Mary Evans Picture
Library, Vivian lifield, Mansell Colection y Ann
Ronan Picture Library

Ilustraciones: Tony Smith

Impreso en China por Imago

Indice

Introducción

La ciencia y el progreso científico constituyen una parte vital de la vida moderna. Inventos como el motor de gasolina, los ordenadores y la energía nuclear han transformado extraordinariamente nuestro modo de vida. Los científicos continúan planteándose preguntas, desarrollando teorías, llevando a cabo experimentos y haciendo descubrimientos nuevos. Apenas transcurre una sola semana sin que haya noticias de algún avance importante en una u otra rama de la ciencia.

No siempre fue así. Durante siglos, campos científicos como la física se consideraron parte de una **filosofía** general de la naturaleza. Esto lo habían transmitido, sin que se cuestionara, pensadores de la antigüedad como Aristóteles y Platón. Además, coincidía perfectamente con las ideas de la iglesia **católica**.

Hace cuatro siglos, Roma, en Italia, era la capital mundial de la religión católica (y aún lo es). La iglesia era una fuerza poderosa en la vida cotidiana. Plantearse ideas científicas significaba retar a la autoridad de la iglesia, y podía suponer una sentencia a muerte.

Galileo fue un matemático, físico y astrónomo italiano que consiguió cambiar el curso de la ciencia. Hizo grandes avances en numerosos campos de la física. Defendió la idea de realizar experimentos para comprobar las teorías científicas, y de utilizar las matemáticas para estudiar los resultados. Fue el primero que escudriñó el firmamento con un telescopio, e hizo numerosos descubrimientos acerca de los planetas y las estrellas.

Al fomentar esta ruptura con el pensamiento tradicional, Galileo abrió el camino para el progreso científico, que tanto nos ha aportado hoy día.

En tiempo de Galileo, Italia estaba dividida en ciudades estado independientes. Cada ciudad principal y su región circundante estaban bajo el dominio de una familia rica y poderosa, como la familia Médicis en Florencia.

San Pedro, en Roma, el corazón de la iglesia católica

Aristóteles y la Iglesia

El filósofo griego Aristóteles, que vivió, aproximadamente, desde el 384 hasta el 322 a.C. fue la principal influencia sobre el pensamiento científico durante más de 1800 años.

Aristóteles identificó dos tipos de movimiento, llamados "natural" y "artificial". En el primer tipo, un objeto se movía hacia arriba o hacia abajo. Así, una piedra caía naturalmente al suelo, y el humo se elevaba en el aire.

Dicho con llaneza, el movimiento "artificial" consistía en moverse horizontalmente, como cuando se arroja una piedra en el campo.

En los cielos, los movimientos de las estrellas eran naturales, aunque de un modo diferente al de la tierra. Sus trayectorias eran circulares e incesantes, y, por lo tanto, "perfectas" e inmutables.

Estas ideas, aunque extrañas y anticientíficas hoy día, encajaban bien con las enseñanzas de la iglesia católica en tiempos de Galileo. Dios era el Creador de todas las cosas. Los cielos, al ser su obra, eran perfectos y no admitían cambios. Pero en la tierra, las cosas no eran perfectas. La gente podía ocasionar acontecimientos "no naturales". El poder de la iglesia hacía difícil que pensadores libres como Galileo desafiaran las enseñanzas de Aristóteles.

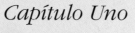

Capítulo Uno
Los primeros años

Hace más de 400 años, la vida en Europa era muy diferente a como es hoy. No había fábricas ni industrias. La mayoría de la gente trabajaba en granjas o en oficios como la cerámica y la carpintería. Pocos niños iban a la escuela, y aún menos sabían leer y escribir. Los libros eran escasos y muy caros, y estaban escritos, normalmente, en **latín**, la lengua de los sabios y de la iglesia. La ciencia, tal como hoy la estudiamos en la escuela, era casi desconocida.

En ese mundo nació Galileo Galilei el 15 de febrero de 1564, en Pisa, al Noroeste de Italia. Tenía dos hermanas y un hermano. Su padre, Vicenzio Galilei, era profesor de música. La familia no era rica, pero Galileo demostró pronto ser buen estudiante y deseoso de aprender. Así, siendo aún niño, tuvo un profesor particular. La familia se trasladó a Florencia en 1574, donde fue educado por los **monjes** del monasterio camaldulense próximo a Vallombrosa.

La lámpara oscilante

En 1581, cuando sólo tenía 17 años, Galileo
empezó a estudiar medicina en la Universidad
de Pisa. Tenía la vaga idea de convertirse
en médico, aunque no llegaría a desarrollar nunca
su interés por la medicina.

Se dice que, un día de 1581, hallándose en
la Catedral de Pisa, Galileo observó una lámpara
que pendía del techo con una larga cadena.
Observó cómo se mecía de un lado a otro por las
corrientes de aire que había en la gran nave.
También advirtió que, ya oscilara la lámpara mucho
o sólo ligeramente, le tomaba el mismo tiempo
completar una oscilación completa de un lado
a otro. Esta observación no era, en absoluto, lo que
él hubiera esperado. Más tarde, escuchó
por casualidad una lección de **geometría** en la
Universidad. Estos sucesos iniciaron su interés
por las ramas de la ciencia que hoy llamamos física
y matemáticas. A partir de 1583 estudió
con un amigo de la familia, Ostilio Ricci, que vivía
en Pisa y era tutor de Corte del Duque de Toscana.

*Con sólo 16 ó 17 años, Galileo vio
un lámpara que se mecía, colgada
del techo en la Catedral
de Pisa. Calculó las oscilaciones
utilizando su propio pulso como
"reloj". Más tarde comprobó sus
observaciones mediante
experimentos, e hizo mediciones
más exactas.*

*La ciudad italiana de Pisa,
en la región de la Toscana,
a finales del siglo XVI.
Anteriormente capital de una
ciudad estado independiente,
con una gran flota de buques,
había caído bajo dominio
de Florencia en el siglo XV.*

Bolas, barcos y péndulos

En el siglo XVI, tras muchos siglos de abandono, se produjo un nuevo interés por las artes, la pintura y la escultura, la escritura y la arquitectura... y, gradualmente, por la ciencia. Este período de una nueva erudición lo conocemos hoy como Renacimiento.

Galileo abandonó por fin la escuela médica de Pisa en 1589, en parte debido a que se estaba quedando sin dinero, y en parte porque había perdido el interés por la medicina. Durante los siguientes años fue catedrático en la Academia de Florencia. También experimentó con bolas, barcos de juguete, péndulos y otros muchos objetos. Observaba cómo caían, flotaban y oscilaban. Medía y cronometraba sus movimientos, e intentaba concebir explicaciones matemáticas para éstos.

En 1586, Galileo se había servido de sus estudios para inventar un nuevo tipo de balanza hidrostática. Esta le hizo famoso en toda Italia y le procuró algún dinero. También escribió un artículo científico sobre la idea de que un objeto tiene un **centro de gravedad** que ayuda a calcular sus movimientos. Esto le sirvió para obtener, en 1589, el nombramiento de Lector de Matemáticas en la Universidad de Pisa.

Este péndulo, concebido para marcar el tiempo, lo inventó Galileo un año antes de morir. Parece que no se le ocurrió relacionar las oscilaciones de un péndulo con la idea de marcar el tiempo hasta el final de su carrera.

Los arcos de la Universidad de Pisa, donde Galileo pasó cuatro años estudiando medicina.

Ciencia experimental

La idea de realizar experimentos era muy extraña en la época de Galileo. Durante centenares de años, la gente había creído en las enseñanzas de los antiguos filósofos griegos, principalmente de Aristóteles (a la derecha). Nadie realizaba experimentos para comprobar si estaban en lo cierto. Por ejemplo, Aristóteles dijo que los objetos más pesados caían a mayor velocidad que los más ligeros. Galileo realizó numerosos ensayos haciendo caer y rodar objetos por pendientes. Demostró que dos pesos diferentes, pero del mismo tamaño y forma, caían al mismo tiempo y tocaban el suelo a la vez. Mediante tales experimentos, Galileo ayudó a establecer el concepto moderno de la ciencia, en el que las ideas y las afirmaciones se someten a prueba para comprobar que sean veraces.

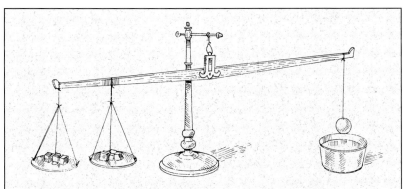

La balanza hidroestática

Este aparato se basaba en el principio de **Arquímedes**, el famoso matemático que vivió dieciocho siglos antes de Galileo. Un objeto inmerso en un líquido, por ejemplo en agua, pesa menos que en el aire, exactamente el equivalente al peso de agua que desplaza o desaloja.

Esta balanza podía identificar los metales de que estaban hechos los objetos. También servía para averiguar las proporciones de aleaciones o mezclas de metales. Esto era importante, porque los orfebres y plateros podían intentar engañar a sus clientes mezclando metales caros con otros baratos.

Capítulo Dos
Catedrático de matemáticas

El experimento de la torre inclinada

Se dice que, para demostrar sus nuevas ideas, Galileo subió a lo alto de la Torre Inclinada de Pisa. Mientras profesores y estudiantes lo observaban, dejó caer desde la barandilla dos bolas de diferente peso. El concepto tradicional era que la bola más pesada llegaría antes al suelo. Sin embargo, ambas bolas aterrizaron a la vez. Aún así, los catedráticos no quisieron escuchar las opiniones de Galileo. Discutieron con él y le hicieron la vida difícil.

Galileo permaneció en Pisa durante tres años. Mientras estuvo allí escribió sobre los objetos en movimiento. Estudió cómo ganaban velocidad (se aceleraban) al caer o rodar por una pendiente. Observó que una bola, al arrojarla a través de un patio, describía una curva, y experimentó con **palancas** y con rampas. Siempre intentaba llevar a cabo experimentos en vivo. Medía y cronometraba cuanto sucedía, y calculaba los resultados matemáticamente.

Muchas de sus observaciones no coincidían con Aristóteles ni con otros filósofos antiguos. Por ello, los colegas de Galileo en la Universidad se enfadaron. No creían que nadie debiera expresarse abiertamente contra las enseñanzas tradicionales.

La Torre Inclinada de Pisa, decorada con mármol blanco, se terminó hacia 1270. Tiene 55 metros de altitud, de modo que una bala de cañón arrojada desde el lado más bajo (la cara norte) llega al suelo en menos de tres segundos.

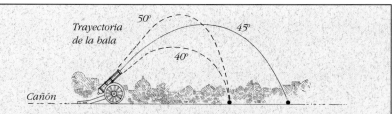

La trayectoria de la bala de cañón

En sus investigaciones sobre el movimiento, Galileo hacía rodar balas de cañón por tablones, y medía cómo caían al suelo. Advirtió que no caían en vertical desde el borde del tablón, sino que describían una curva, y midió hasta dónde llegaban longitudinalmente y el tiempo que tardaban. La trayectoria curva que describía la bala de cañón es un tipo de **parábola**.

Galileo descubrió, mediante experimentos y cálculos matemáticos, que, para proyectar una bala a mayor distancia, había que disparar el arma apuntando hacia arriba a unos 45º. Advirtió que "en cuanto a los demás disparos, tanto los que excedían como los que no llegaban a 45º, tenían el mismo alcance."

*El termoscopio, inventado por Galileo siendo profesor en Padua, servía para medir la temperatura y la **presión atmosférica**.*

Catedrático en Padua

Para evitar mayores conflictos, Galileo se trasladó en 1592 a Padua, cerca de Venecia, como catedrático de matemáticas. Allí, las autoridades permitían que la gente se expresara con mayor libertad acerca de su trabajo. Además, pagaban mejor, aunque Galileo no se hizo rico. Su padre había muerto en 1591, y él tuvo que hacerse cargo de las finanzas familiares. Pagó generosas dotes (regalos de boda) cuando se casaron sus dos hermanas, y entregó dinero a su hermano menor, Michelangelo, que era músico.

Galileo fue catedrático en Padua durante 18 años. Enseñaba a los estudiantes geometría y astronomía, y prosiguió con su trabajo sobre el movimiento y la aceleración. Nunca se casó, aunque, durante su estancia en Padua, tuvo con su compañera, Marina Camba, dos hijas y un hijo. También inventó un instrumento matemático, el **compás proporcional**, que vendió para mejorar sus ingresos.

Estudió, además, sobre el calor y los efectos que produce éste en distintos líquidos. Este estudio le llevó a inventar un nuevo tipo de termómetro.

El compás proporcional

Este instrumento científico se utilizaba para calcular todo tipo de sumas, incluyendo **raíces cuadradas** de números, averiguar las equivalencias entre monedas de distintos países, determinar volúmenes y densidades de objetos y **«cuadrar un círculo».**

*Nicolás Copérnico asistió
a la Universidad de Cracovia,
en la actual Polonia, que era
famosa en la época por la
matemática y la astronomía.
También viajó a Italia y estudió
en Bolonia, Padua y Ferrara.
Publicó sus teorías
de los movimientos planetarios
en su obra* Sobre las revoluciones
de las esferas celestes *(1543).*

Copérnico

Hacia 1597, Galileo leyó la obra del astrónomo polaco Nicolás Copérnico, quien había muerto hacía más de 50 años. Copérnico había sugerido que la Tierra y los otros planetas giraban en torno al sol. Esta idea difería bastante de la opinión común en aquella época, que consistía en que todo giraba en torno a la Tierra. La creencia general era que la Tierra era el centro del Universo.

Galileo reconoció que las ideas de Copérnico coincidían con las observaciones sobre los movimientos planetarios, y también explicaban sus propias teorías acerca de por qué subían y bajaban las mareas en el océano. Galileo había observado que el ritmo de las mareas estaba relacionado con los movimientos tanto del Sol como de la Luna.

Kepler

La obra de Copérnico había sido publicada por otro astrónomo y matemático, Johannes Kepler, que vivía en Alemania. Así que Galileo escribió privadamente a Kepler, diciéndole que creía que Copérnico tenía razón. Pero le preocupaba hablar abiertamente, porque, si decía que la Tierra no era el centro de todas las cosas, desafiaría a las enseñanzas tradicionales y a los conceptos religiosos de la época.

*Johannes Kepler (1571-1630) fue
un astrónomo alemán que apoyó
firmemente las ideas de Copérnico.
Intercambió cartas
con Galileo, y en
1610 escribió
alabando los
descubrimientos
de éste con su
nuevo telescopio.*

Un grabado de 1539 del sistema solar, según el concepto de científicos antiguos como Aristóteles y Tolomeo. La tierra figura en el centro. En torno a ella están las 'esferas' u **órbitas** de los seis planetas que entonces se conocían, con sus nombres latinos. El Sol, Solis, se halla entre Venus y Marte. La esfera más exterior es Habitaculum Dei, *la Morada de Dios.*

Dos conceptos del sistema solar

El concepto de Tolomeo. Hacia el año 130 a.C., el astrónomo griego Tolomeo perfeccionó la obra de Aristóteles y describió cómo se relacionaban entre sí los movimientos de la Tierra, la Luna, el Sol y otros cuerpos celestes. Creía que la Tierra estaba en el centro, y que permanecía inmóvil. Los otros cuerpos giraban en torno a ella en órbitas circulares combinadas. Se llama sistema geocéntrico.

El sistema de Copérnico. En este sistema, la Tierra no permanecía inmóvil. Giraba sobre sí misma una vez al día. También giraba alrededor del Sol junto con todos los demás planetas. De modo que el Sol era el centro del sistema solar. Esta teoría se conoce como sistema heliocéntrico. Los astrónomos han demostrado posteriormente que es correcta.

Tolomeo expuso su concepto geocéntrico del universo en su libro El almagesto, hacia el año 130 d.C. Estableció con detalle la órbita geométrica de cada planeta en su recorrido por los cielos, con la Tierra en el centro. También escribió su Geografía, con mapas del mundo según se conocía en su época. Ambas obras siguieron siendo estimadas hasta el siglo XVI.

Primitivo diagrama francés del sistema de Copérnico. El sol se halla en el centro, con los planetas conocidos alineados hacia el exterior. La tierra ocupa su posición correcta, la tercera a partir del centro, con la Luna girando en torno a ella. También se muestran las lunas de Júpiter y de Saturno en órbita alrededor de sus respectivos planetas. Galileo entendió que este sistema coincidía mucho mejor con sus propias observaciones.

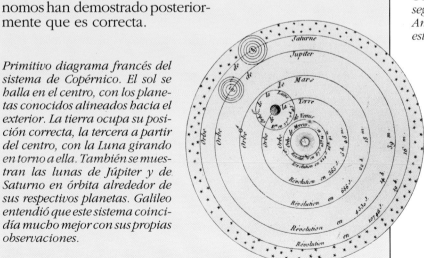

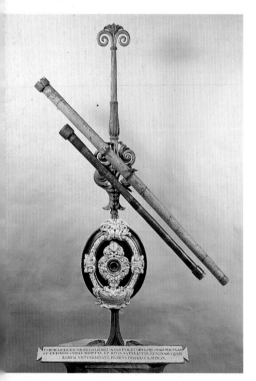

La aparición de tres brillantes cometas en 1618 impulsó a Galileo a proseguir su estudio de los cielos. Arriba figura el famoso cometa Halley, que, menos de un siglo después, sirvió para probar que las convicciones de Galileo acerca del universo eran correctas. Abajo se ven los telescopios utilizados por Galileo para observar las estrellas.

Capítulo Tres

Estudiando el firmamento

En 1604 iluminó el firmamento una *stella nova* (nueva estrella), muy lejana en el universo. Pocas personas comprendieron lo que realmente era aquel objeto brillante. Se trataba de la explosión de una estrella, una **supernova**. Aquello demostraba a los astrónomos de la época que los cielos, al contrario de lo que creían Aristóteles y la iglesia, no eran "perfectos" e inmutables. Esto indujo a Galileo a explorar más sus teorías sobre el universo.

En 1607 imprimió su primer libro, sobre el compás proporcional que había inventado (página 11). Luego, en 1609, llegaron noticias de Holanda acerca de otro invento ideado por **Hans Lippershey** el año anterior. Se trataba del telescopio, un nuevo instrumento que se servía de **lentes** para hacer que los objetos parecieran mucho más próximos de lo que en realidad estaban. Galileo empezó a fabricar sus propias versiones casi en seguida, y, en pocos meses, había construido uno de 32 aumentos. Sus telescopios eran mucho más nítidos y más potentes que los de sus rivales. Fueron los primeros que pudieron utilizarse para estudiar el firmamento en detalle, y pronto se usaron en toda Europa.

Galileo recibió una cuantiosa recompensa. Los gobernantes venecianos lo nombraron catedrático vitalicio, y aumentaron considerablemente su paga. Sus preocupaciones financieras se habían terminado.

Galileo mostrando su telescopio y las capacidades de éste a altos dignatarios de la iglesia. Muchos de estos hombres desconfiaban de sus afirmaciones.

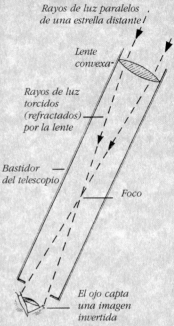

Rayos de luz paralelos de una estrella distante

Lente convexa

Rayos de luz torcidos (refractados) por la lente

Bastidor del telescopio

Foco

El ojo capta una imagen invertida

El telescopio astronómico

El telescopio de Galileo tenía un cristal **convexo** en un extremo para torcer o refractar los rayos de luz, haciéndolos así juntarse y enfocarse, en el extremo opuesto, en una imagen clara, diáfana, ampliada e invertida. Este principio se usa todavía en los telescopios pequeños y en los prismáticos.

Una de las razones por las que los primeros telescopios de Galileo tuvieron tanto éxito fue que ideó un nuevo modo para esmerilar y pulir las lentes de vidrio hasta darles la curvatura correcta. Así producía el aumento sin demasiada distorsión o turbiedad.

Una revolución en la astronomía

A los pocos meses de observar las estrellas, Galileo hizo numerosos e importantes descubrimientos. Algunos de ellos los publicó en su libro *El mensajero de las estrellas* (1610).

Observó que la Luna no era llana, según se creía, sino que tenía montañas y cráteres. Advirtió que la tenue banda lechosa que cruzaba el firmamento, la Vía Láctea, se componía de millones de estrellas separadas. Observó que el planeta Venus tenía fases, como la Luna, y que distintas partes de él se iluminaban a distintas horas. También vio lunas que giraban en torno al planeta gigante, Júpiter. Detectó en el Sol zonas oscuras o manchas solares. Y también pudo distinguir que el planeta Saturno no era redondo, sino alargado. De hecho, esa forma se debe a sus anillos.

Galileo fue el primero en advertir, con su telescopio, que Saturno no parecía redondo. Más tarde se descubrió que esto era debido a que tiene anillos.

Las manchas solares

En 1613, Galileo escribió *Cartas sobre las manchas solares*, sobre cómo y por qué se trasladan las **manchas solares** por el disco del Sol. Fue aquélla la primera vez que apoyó abiertamente el sistema copernicano, sugiriendo que el propio Sol giraba a su vez, al igual que la tierra giraba en torno a él. No estaba de acuerdo con la idea de que las manchas fuesen minúsculos planetas que giraban alrededor del Sol, según había sugerido el alemán Christoph Scheiner, un observador jesuita.

El descubrimiento de lunas que giraban en torno a Júpiter fue especialmente significativo. Demostraba que la Tierra no era el centro de todo, como en el sistema de Tolomeo. Los descubrimientos de Galileo dieron lugar a una encendida polémica. Sabiendo que tendría problemas con sus colegas de la Universidad, decidió trasladarse. Le ofrecieron el puesto de matemático de Corte del Gran Duque de Toscana, así que se estableció en Florencia.

En 1611, Galileo viajó a Roma para mostrar su telescopio a otros científicos y personas importantes, incluso a miembros de la iglesia. En reconocimiento a su labor, fue elegido para la *Accademia dei Lincei*. Fue ésta la primera sociedad científica de sabios de la era moderna, que había sido recientemente fundada, en 1603.

Después, en 1613, Galileo escribió sus *Cartas sobre las manchas solares*, que publicó la *Accademia dei Lincei*. El libro se basaba en las investigaciones realizadas utilizando el telescopio con el que había obtenido su premio de la Academia. En su libro, Galileo apoyaba abiertamente, por primera vez, el sistema copernicano. Los acontecimientos se estaban poniendo serios.

Galileo observaba y anotaba minuciosamente, según demuestran sus dibujos de la superficie de la Luna, con sus cráteres, durante diversas fases, tomados de sus cuadernos. Desgraciadamente, muchos de sus documentos fueron destruidos debido a sus problemas con la iglesia.

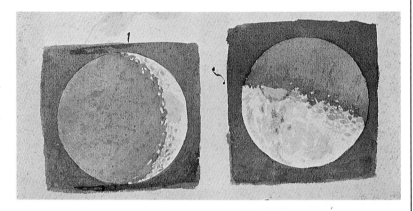

Objetivo (lente frontal) de uno de los telescopios de Galileo. La mayoría de sus lentes tenían tan sólo unos pocos centímetros de diámetro. La mayor lente de un telescopio, en la actualidad, es la del Observatorio Yerkes, en Wisconsin, EEUU. Mide 102 centímetros de diámetro.

Una fotografía moderna de Io, una de las lunas de Júpiter. Galileo observó que este planeta gigante tenía cuatro "estrellas" (en la época se llamaba de este modo a todos los planetas, lunas y estrellas). Actualmente se las llama lunas de Galileo: Io, Europa, Ganímedes y Calisto. Se ha descubierto, hasta el presente, un total de 16 lunas en órbita alrededor de Júpiter, así como un anillo de rocas.

Capítulo Cuatro
Problemas con la Iglesia

En Italia, durante el siglo XVII, la iglesia era muy poderosa. Quienes no estaban de acuerdo con sus enseñanzas eran considerados como **herejes** que debían ser castigados. Galileo sabía que sus ideas sobre astronomía le traerían problemas, ya que la iglesia creía en el sistema **geocéntrico**. Así, pues, en 1615 escribió una carta en defensa propia, hoy conocida como la *Carta a la Gran Duquesa Cristina*.

En ella, Galileo defendió la libertad para la ciencia. Dijo que los científicos deberían poder expresar sus pensamientos y opiniones, así como llevar a cabo experimentos para demostrar o refutar sus teorías. Advirtió contra la simple creencia popular en las enseñanzas tradicionales de personas como Aristóteles y Tolomeo, sin comprobarlas por sí mismos ni realizar sus propias observaciones y mediciones. Esta petición resulta hoy extraña, cuando la experimentación forma una parte tan vital de la ciencia. Pero no era así en la época de Galileo.

La carta no tuvo éxito. Galileo fue a Roma e intentó convencer al Papa Pablo V de la necesidad de libertad científica y de que Copérnico tenía razón. Pero el Papa no se dejó convencer. En 1616, una investigación eclesiástica ordenó a Galileo no volver a hablar o a escribir apoyando de nuevo a Copérnico, bajo la amenaza de prisión.

La Gran Duquesa Cristina, a quien Galileo escribió en 1615 solicitando libertad para la ciencia. La carta iba destinada, en realidad, a su hijo el Gran Duque de Toscana.

Florencia, capital de la región de Toscana, en tiempos de Galileo. La ciudad era un centro mundial para las artes, la arquitectura y las finanzas, especialmente desde el siglo XIII hasta el XVI.

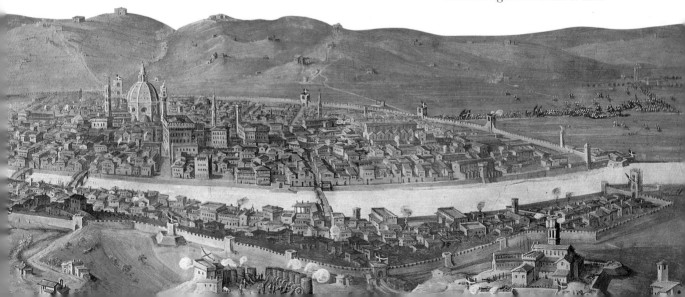

Maffeo Barberini se convirtió en el Papa Urbano VIII (1623-1644)

De regreso en Florencia, Galileo prosiguió su trabajo sobre física, el movimiento y la mecánica. Algunos de los resultados de este trabajo los publicó en su libro *El ensayador* (1623). Describía cómo todo trabajo científico debe empezar por el mundo real, en lugar de por las creencias antiguas. También en 1623, su antiguo amigo Maffeo Barberini se convirtió en el nuevo Papa, Urbano VIII. Permitió a Galileo escribir un libro moderado comparando las teorías astronómicas antiguas y modernas. Se llamó *Diálogo sobre los dos mayores sistemas del mundo* (1632).

Triunfo del Diálogo

El *Diálogo sobre los dos mayores sistemas del mundo* es una de las más importantes obras científicas. Desafiaba las enseñanzas que decían que había dos sistemas de leyes naturales, uno para el cielo y otro para la tierra.

Galileo expuso el concepto de que la tierra y los seres humanos no eran algo aparte de los cielos. La Tierra era un planeta, del sistema solar, que formaba parte, a su vez, de un universo mayor. Los humanos y cuanto había en la Tierra estaban sujetos a las leyes naturales, que podían describir ciencias como la física y las matemáticas. Ya se tratara de una bola arrojada al aire o de un planeta que giraba en torno al sol, intervenían las mismas leyes, y la ciencia podía ofrecer una explicación. El libro contenía también avances en muchos otros campos de la física.

La mayoría de los libros de la época se escribían en latín. Galileo escribió su *Diálogo* en italiano, pues quería que todo el mundo leyera y comprendiera su obra.

¡Bajo arresto!

Al principio, las autoridades eclesiásticas aprobaron el *Diálogo* de Galileo. Al publicarse, fue acogido como una obra maestra por parte de científicos y filósofos en toda Europa.

Sin embargo, pronto resultó evidente que el libro no era lo bastante moderado. Galileo había decidido que la evidencia científica confirmaba el sistema **heliocéntrico**. Esto significaba que una gran parte del conocimiento científico aceptado en la época —basado en las enseñanzas de Aristóteles y de los antiguos— debía de ser erróneo.

Pocos meses después, en febrero de 1633, Galileo regresaba a Roma para ser juzgado. El Papa, antes su amigo, era ahora su enemigo. Galileo fue acusado de haber roto el acuerdo sobre que nunca más volvería a apoyar a Copérnico ni atentar contra la iglesia y sus creencias. Se defendió a sí mismo enérgicamente frente a la **Inquisición** de la iglesia, diciendo que las observaciones y los hechos científicos no podían ignorarse. Pero, finalmente, fue obligado a admitir que había ido demasiado lejos. Todos sus libros fueron prohibidos, y se mandó quemar las copias del *Diálogo*. La condena de Galileo fue cadena perpetua.

Galileo fue acusado de "vehemente sospecha de herejía", aunque es bastante posible que algunos de los documentos utilizados como prueba contra él, tomados de su anterior comparecencia en 1616, fueran manipulados. Se le obligó a leer un documento en el que admitía que estaba equivocado y que el sistema copernicano era falso. Al final, se supone que murmuró: "Eppur si muove" (no obstante, se mueve), refiriéndose a que la tierra giraba alrededor del sol.

Capítulo Cinco
Los últimos años

Galileo quedó abatido con la condena a cadena perpetua. Sin embargo, el Papa la sustituyó en seguida por la de arresto domiciliario. En diciembre de 1633 Galileo regresó a su casa, Villa Arcetri, en las colinas próximas a Florencia. La casa y los jardines constituyeron su "prisión" durante el resto de su vida.

¿Qué conocemos de la vida privada de Galileo? Hombre activo y sociable, tenía numerosos amigos, desde profesores a nobles, miembros de la iglesia, artistas y comerciantes. Le encantaban la pintura y la poesía, y estudió literatura para poder escribir sus propias obras con un estilo claro y entretenido. Aquel arresto domiciliario debió de resultarle muy frustrante. Pero, ni siquiera durante sus últimos años, cuando la salud empezó a fallarle poco a poco, se le permitió abandonar su villa para visitar a los médicos en Florencia.

Galileo fue condenado a cadena perpetua el 21 de junio de 1633. Sin embargo, el Papa redujo la condena a arresto domiciliario, y, en diciembre, pudo regresar a su villa cerca de Florencia.

El trabajo en Villa Arcetri

Alentado por su amigo el Arzobispo de Siena, Galileo volvió pronto al trabajo en su casa, y siguió escribiendo. Su libro *Discursos y demostraciones matemáticas en torno a dos nuevas ciencias que conciernen a la mecánica* tuvo que ser sacado **clandestinamente** de Italia, debido a la prohibición que pesaba sobre sus publicaciones. Fue impreso por Louis Elzevirs en Leiden, Holanda, en 1638.

Galileo seguía siendo un eficiente astrónomo. En 1637 descubrió que la Luna tenía unas **oscilaciones** regulares, que parecen ligeros balanceos, lo cual significa que podemos ver más de la mitad de la superficie lunar en determinados momentos. La Luna se balancea porque su **ecuador** no guarda un ángulo recto con respecto a su **eje** rotatorio, y porque no gira alrededor de la Tierra a una velocidad regular.

La villa de Galileo, en Arcetri, donde pasó los últimos nueve años de su vida. Ahí escribió el famoso libro Discursos *y prosiguió con su trabajo sobre física, mecánica y matemáticas. Muchos científicos y viajeros visitaban la casa, ya que era ahora conocido en toda Europa, principalmente por sus primeras obras: el* Mensajero de las estrellas *y el* Diálogo.

Las dos nuevas ciencias

El último gran libro de Galileo fue sus *Discursos y demostraciones matemáticas en torno a dos nuevas ciencias que conciernen a la mecánica*. Consistía en un resumen de sus primeros experimentos y de sus recientes avances en física, incluyendo su trabajo sobre el movimiento y la resistencia de diversas sustancias.

El punto de vista de Galileo era que los *Discursos* suponía el principio de una nueva era para las ciencias físicas. Y así resultó ser, ya que fue una de las principales influencias en la obra de Isaac Newton (ver página 27).

El gran poeta John Milton visitó a Galileo en 1638, durante un viaje por Francia, Suiza e Italia. Galileo era un gran admirador de la literatura, en especial del poeta romano Virgilio y del escritor italiano Dante (quien también había vivido en Florencia).

Sólo la familia y los amigos íntimos asistieron al funeral de Galileo.
Sus admiradores deseaban que se celebrasen grandes exequias, pero se les advirtió que no debían ofender a las autoridades eclesiásticas de Roma.

El año siguiente, Galileo se quedó ciego. No obstante, permaneció atareado y haciendo inventos. Escribió cartas a muchos otros científicos. Personas famosas visitaban Villa Arcetri, como su viejo amigo el Gran Duque de Toscana, el poeta inglés John Milton y el científico y filósofo inglés Thomas Hobbes. Trabajaba con sus alumnos Vincenzo Viviani y Evangelista Torricelli, que más tarde se convertirían en físicos famosos.

El perdón final

Se hicieron intentos por conseguir el perdón de Galileo y su liberación del arresto domiciliario, pero fracasaron. El mismo dijo que no podía esperar el perdón, porque sólo puede perdonarse a los culpables. Aún trabajaba en ideas sobre péndulos y sobre lo que sucedía cuando dos objetos colisionaban, cuando tuvo un acceso de fiebre. Murió en Arcetri el 8 de enero de 1642.

Sus amigos y seguidores, incluyendo al Gran Duque, quisieron dar a tan gran hombre el entierro y la tumba que merecía. Pero la Inquisición eclesiástica de Roma mantenía aún que Galileo era un hereje convicto. Así, pues, fue enterrado con discreto ceremonial en la iglesia familiar de Santa Croce, en Florencia. Sólo un siglo después se le otorgó verdadero reconocimiento. Sus restos se trasladaron a una espléndida tumba en la catedral, y Galileo ocupó el lugar que merecía en la historia como uno de los científicos más grandes de todos los tiempos.

*La tumba de Galileo
en la actualidad, en Florencia.
El **epitafio** lo escribió su alumno
Vincenzo Viviani.*

Capítulo Seis
Después de Galileo

En Italia, después de su muerte, los colegas de Galileo y sus alumnos prosiguieron su obra. Benedetto Castelli inició la ciencia de la **hidrodinámica**, el estudio de las fuerzas y presiones en los líquidos. Evangelista Torricelli experimentó con la presión del aire e inventó un instrumento para medirlo, el barómetro. Bonaventura Cavalieri trabajó en matemáticas y colaboró para fundar la rama de esa ciencia que se llama **cálculo**.

Los descubrimientos de Galileo con el telescopio lo habían hecho famoso como el principal astrónomo de Europa. Algunos científicos no creían en sus observaciones, y decían que las producía el propio telescopio, que era un invento nuevo y poco probado. Sin embargo, durante los años siguientes, otros construyeron telescopios y demostraron que las primeras observaciones de Galileo eran correctas. A partir de aquella base firme, la astronomía se desarrolló como uno de los campos principales de la ciencia.

Aparte de la astronomía, Galileo era conocido en Europa, sobre todo, por sus libros esenciales, el *Diálogo* y los *Discursos*. Debido a la prohibición eclesiástica, sus escritos estuvieron prohibidos en Italia, aunque podían conseguirse copias secretas. También se sacaban clandestinamente a otros países, donde se publicaban. Los científicos los leían con avidez y siguieron desarrollando sus ideas.

Isaac Newton (1642-1727) nació el año que murió Galileo. Prosiguió los avances que éste había hecho y, al vivir en una sociedad más receptiva, pudo llevar a cabo un gran cambio en el estudio de la ciencia.

Los telescopios y la astronomía han cambiado enormemente desde la época de Galileo. La mayoría de los grandes telescopios modernos son **reflectores** que utilizan un espejo central, en lugar de lentes, como sucedía con los refractores de Galileo. El telescopio Shane en el Observatorio Lick, en el Monte Hamilton, California. EE.UU., tiene un espejo principal de 3 m de diámetro (abajo). La Lanzadera espacial (izquierda), en sí misma una asombrosa proeza de la ingeniería mecánica y electrónica, lanza al espacio telescopios especiales. Al no tener que mirar éstos a través de la polvorienta atmósfera, pueden escudriñar el universo más allá y con mayor nitidez que ningún otro telescopio sobre la superficie terrestre.

Galileo confiaba en que su último libro, los *Discursos*, iniciaría una nueva era de libertad e investigación científicas. Se ocupaba éste de diversos aspectos de la física, como el calor, la luz y el sonido. Trataba de la aceleración, los objetos al caer y otros aspectos del movimiento y la mecánica. Demostraba que debían comprobarse las teorías nuevas mediante experimentos, y que las matemáticas podían analizar los resultados. Incluso abordaba la idea de los "infinitesimales", las más ínfimas fracciones que resultaban al dividir las sustancias al máximo. Hoy los denominamos átomos y partículas elementales.

El año que murió Galileo nació otro gran científico, Isaac Newton. Treinta años después, Newton se basaría en las obras de Galileo, del matemático y filósofo francés René Descartes, del químico inglés Robert Boyle y de otros científicos. En 1687 publicó su obra monumental, normalmente llamada *Principios*. Con la ayuda, en gran medida, de Galileo, se había iniciado la era moderna de la ciencia.

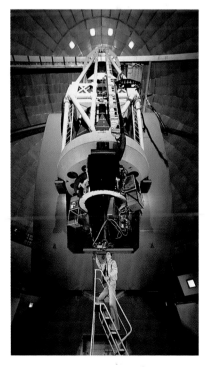

El mundo en la época de Galileo

	1550-1575	1576-1600
Ciencia	**1551** Gessner escribe su *Historia Animalium*, la primera obra sobre animales desde los antiguos **1564** Nace Galileo **1569** Gerard Mercator funda la ciencia de la cartografía o elaboración de mapas	**1589** Galileo se convierte en profesor de matemáticas en Pisa **1590** Zacarías Janssen inventa el primer microscopio
Exploración	**1559** El tabaco llega a Europa procedente de América **1571** Los portugueses fundan una colonia en Angola, Africa **1571** Los españoles ocupan las Filipinas	**1584** Se importan a Europa, por primera vez, las patatas **1585** John Davis intenta hallar el Paso Noroeste: fracasa, aunque descubre el Estrecho de Davis cerca de Groenlandia
Política	**1562** Empiezan en Francia las guerras religiosas **1563** Empieza la guerra entre Dinamarca y Suecia **1569** El Papa hace a Cósimo de Médici Gran Duque de Toscana	**1581** Los rusos inician su conquista de Siberia **1588** Desastre de la Armada Invencible **1600** Momento culminante del Implerio Oyo en Africa
Arte	**1569** Muere Peter Breughel, el Viejo **1570** Palladio escribe su *Tratado de arquitectura*	**1596** El artista italiano Caravaggio completa la *Cena de Emaús* **1600** Primera representación de *Hamlet*, de William Shakespeare

1601-1625

1604 La supernova despierta el interés de Galileo por la astronomía; la explosión la registran también Johannes Kepler y astrónomos en China y Corea

1616 La Inquisición de Roma ordena a Galileo que no vuelva a defender el sistema copernicano

1608 Jamestown, en Virginia, se convierte en el primer asentamiento permanente de los ingleses en Norteamérica

1605 Muere Akbar, tercer Emperador mogol de la India y uno de sus más grandes gobernantes

1618 Empieza la Guerra de los Treinta Años en Alemania, pronto se propaga a la Europa central

1602 Se inicia en Japón el teatro Kabuki

1604 El poeta inglés Christopher Marlowe publica *Doctor Fausto*

1607 *La Favola d'Orfeo*, de Monteverdi, se convierte en la primera ópera verdadera

1626-1650

1633 Galileo comparece de nuevo ante la Inquisición de Roma, siendo por fin condenado a arresto domiciliario

1641 Galileo inventa el primer reloj de péndulo

1642 Muere Galileo

1641 Se lleva a Holanda, el primer chimpancé vivo desde Africa

1642 Tasman descubre Tasmania y Nueva Zelanda

1646 Los ingleses ocupan las Bahamas

1630 El Tratado de Madrid pone fin a la guerra entre Inglaterra y España

1633 Carlos I de Inglaterra es coronado Rey de Escocia

1644 Se derroca en China a la dinastía Ming

1632 Rembrandt pinta la *Lección de Anatomía*

1636 Se funda Harvard en Massachusetts, EEUU, como primera universidad americana

1639 Se crea en Norteamérica la primera imprenta

Glosario

Arquímedes: uno de los más grandes matemáticos de la antigua Grecia. Nació hacia el 287 a.C. en Siracusa, Grecia.

ángulo: rama de las matemáticas que sirve de cuentas y ecuaciones para determinar longitudes, áreas y volúmenes, y en particular cómo se modifican éstos con el tiempo.

católico: relativo a la iglesia católica romana, el grupo mayoritario dentro de la religión cristiana, cuya cabeza es el papa en Roma.

centro de gravedad: lugar imaginario donde se concentra todo el peso de un objeto. En la mayoría de los casos, el centro de gravedad se halla en el interior del objeto; en una bola, se halla exactamente en su centro. Si pudiéramos sostener el objeto por ese punto, guardaría un equilibrio perfecto.

clandestino: se refiere a sacar cosas secretamente de un país a otro, en contra de la ley. Así sucedió con los libros de Galileo cuando fueron prohibidos. Hoy día sucede con las drogas y otras sustancias ilegales.

compás proporcional: primitivo aparato de cálculo provisto de dos puntas unidas por una articulación giratoria. La solución de cualquier cálculo se hallaba haciendo girar las puntas hasta una posición determinada y leyendo donde se cruzaban las distintas filas de números.

convexo: curvado o abultado hacia afuera. Una lente convexa tiene dos superficies abultadas hacia afuera, de modo que es más ancha por el centro que en sus bordes.

cuadrar un círculo: hallar la longitud del lado de un cuadrado que tiene un área equivalente a la de un círculo que conocemos. Para un círculo de 100 milímetros de diámetro, un cuadrado con la misma área tiene lados de 88,6 milímetros.

Ecuador: línea imaginaria alrededor de la tierra, que la divide por su parte más ancha, entre los polos, en dos partes iguales.

eje: línea recta imaginaria que pasa por los polos terrestres. La tierra gira en torno a ese eje.

epitafio: texto escrito o hablado dedicado a una persona muerta; suele inscribirse en la lápida de la tumba, en memoria de su vida y su obra.

filosofía: estudio del conocimiento, las creencias y los pensamientos humanos. Afecta a numerosos aspectos de nuestra vida, tales como el modo de conocer las cosas, por qué creemos en el bien y el mal, y por qué consideramos valiosas algunas cosas y otras despreciables.

geocéntrico: cuando los planetas, lunas, estrellas y otros cuerpos celestes se mueven en distintas órbitas alrededor de la tierra, que se halla en el centro y permanece inmóvil (ver también heliocéntrico).

geometría: parte de las matemáticas que trata de líneas, formas planas como círculos y cuadrados, y formas sólidas como esferas y cubos. Utiliza ecuaciones matemáticas para hallar las longitudes, áreas, volúmenes y otras características.

Hans Lippershey: científico danés que inventó un primitivo tipo de telescopio hacia 1608, utilizando dos lentes *convexas*. Un año más tarde inventó también un primitivo tipo de microscopio.

heliocéntrico: cuando los planetas (incluyendo a la tierra) y sus lunas giran alrededor del sol, que se halla en el centro. (Ver también *geocéntrico*).

hereje: persona que no acepta las creencias y enseñanzas de la iglesia.

hidrodinámica: estudio de las presiones, fuerzas y movimientos de los fluidos; por ejemplo, del aceite en un motor de coche.

inquisición: organización de la iglesia católica que perseguía a los herejes. (Duró desde los siglos XIII al XIX aproximadamente.)

latín: lengua de la antigua Roma

y del imperio romano. La iglesia la utilizaba para discursos y escritos importantes, así como los sabios y personas educadas de la Edad Media, aunque hoy se usa escasamente.

lentes: piezas de material transparente, como cristal o plástico, talladas de manera especial para alterar la dirección de los rayos de luz (ver también *convexo)*.

manchas solares: zonas oscuras que se mueven por la superficie del sol y que, normalmente, duran algunas semanas. Son resultado de las perturbaciones del campo magnético del sol, increíblemente potente. Aunque parecen pequeñas, tienen un diámetro de 20.000 kilómetros o más.

monjes: comunidad de religiosos que dedican sus vidas a Dios.

órbitas: trayectorias seguidas por las lunas al girar en torno a los planetas, y también las de los planetas al girar alrededor de estrellas. Las órbitas de la tierra y de los demás planetas que giran alrededor del sol no son circulares, sino ovaladas o elípticas.

oscilaciones: balanceos o fluctuaciones, ligeros movimientos de un lado a otro. La luna tiene oscilaciones mientras gira alrededor de la tierra.

palancas: barras, garrotes u objetos similares, largos y rígidos, que giran alrededor de un punto de apoyo y que sirven para mover objetos pesados. Un columpio es un tipo de palanca.

parábola: curva abierta formada por una línea que, en lugar de doblarse simétricamente como en un círculo, tiende a hacerse recta. Al arrojar una piedra en el campo, describe una parábola.

presión atmosférica: peso del aire en la atmósfera que envuelve a la tierra, la cual ejerce una presión sobre los objetos. La presión atmosférica es mayor a nivel del mar, aproximadamente de 1 kilogramo por centímetro cuadrado. Se atenúa a mayor altitud, ya sea en las montañas o en un avión, y es nula en el espacio.

raíz cuadrada: número que, al multiplicarlo por sí mismo, da el número que ya tenemos. Por ejemplo, si el número que tenemos es 4, su raíz cuadrada es 2. La raíz cuadrada de 9 es 3.

reflector: objeto, como los espejos, que refractan la luz, el sonido o el calor.

supernova: estrella en explosión que se vuelve repentinamente más brillante durante horas o días, de modo que puede observarse incluso a plena luz del día. Después se desvanece lentamente durante días o semanas. Sólo se han registrado tres supernovas en nuestra parte del universo en época moderna: en 1054, en 1572 y en 1604 (la que vio Galileo.)

Indice